나의 시

손 마리아 지음

나의 시

발 행 | 2024년 3월 20일
저 자 | 손 마리아
펴낸이 | 한건희
펴낸곳 | 주식회사 부크크
출판사등록 | 2014.07.15.(제2014-16호)
주 소 | 서울특별시 금천구 가산디지털1로 119 SK트윈타워 A동 305호
전 화 | 1670-8316
이메일 | info@bookk.co.kr

ISBN | 979-11-410-7688-7

나의

시

손 마리아 지음

순   서

작가의 이야기

나의 시   15

생의 애착심   17

사랑의 길   18

언뜻 언뜻   20

내 생각은   21

만날 수 없는   23

성당에서   24

달뜨는 저녁   26

달밤   27

인생여정   29

인생   30

긴 세월   32

너는   33

예수님   35

하느님   36

보고 싶어도   37

그리움 38

기도 40

그래 알아 41

행복해라 43

체 념 44

말 46

서글픈 말 47

떠난 그대 49

꿈 50

예쁘단다 52

사랑의 힘 53

너와 나 54

사랑의 길 55

생각 56

웃는 모습 57

사랑해 58

너야 59

사랑해2 60

마음 62

나는 사랑 63

너의 전화 64

가슴에 안기운채   65

그래   66

주여   68

주님을 만나는 시간   69

성모 어머니   71

잠들지 못하는 밤   72

너   74

노할머니와 자비   75

기일   76

기일2   77

차별화 된   79

지난일은 지난날에 묻고   80

그리움 2   81

희망   82

정   83

나의 형제들   84

이 시는   85

웃는 얼굴이 너무 예쁘다   86

소소한 이야기   87

너야   88

어머니의 살풀이 춤   89

어머니의 목소리   91

그녀   93

초췌한 모습   94

잊은 척   96

하늘만큼   97

꿈   98

존재의 이유   99

기억   100

너를 바라보니   102

나머지는 먼 미래의   103

황당한 질문   105

그믐 밤   106

낙엽   108

햇빛가린 망월에서   109

그집 앞   111

지쳐 있을때에는   112

기다린 마음   114

복들어 온다   115

내 고향   116

우리 할머니   117

깊은 사랑   119

잊을수가 있을까 120

말없는 속삭임 122

한 줄기 기다림 123

만나야 할 사람 124

다른이의 아픔 125

친구 127

주여! 성모의 아드님 128

아버지 130

마음의 정 131

첫 사랑 133

꿈 2 134

빈 자리 136

빗소리 137

이루지 못한 사랑 139

도시에 갖힌 여자 140

작은 무덤하나 142

깊이 메어진 멍애 143

망골산 어머니 145

감나무 그네 146

수놓는 처녀 147

허수아비 148

노년의 삶　　　　　　　　　150

할머니의 아리랑 춤　　　　151

노인과 눈　　　　　　　　153

금성산 위 하늘　　　　　　154

나의 벗　　　　　　　　　156

시간과 세월　　　　　　　157

삐침보　　　　　　　　　159

사랑하는 사람이 생긴다면　160

나그네　　　　　　　　　162

꿈많은 할머니　　　　　　164

산책로　　　　　　　　　165

내 인생의 선물　　　　　　167

많은 글을 쓸 수 있다면　　169

이쁜 편지 한 장　　　　　170

웃음　　　　　　　　　　172

기도　　　　　　　　　　173

꽃　　　　　　　　　　　175

세상 모든 이들에게　　　　176

북쪽으로 두른 나무　　　　178

질문　　　　　　　　　　180

나의 어머니　　　　　　　182

너 요한   184

잊을 수 없음을   186

바라보라   188

왔던길로 가버린 사람   189

구원의 기도   191

첫 사랑   192

용서   194

나의 삶   195

아녜스   197

목마른 영혼   199

나를 구하소서   200

꿈에도 생시에도   201

누구를 사랑하는가   203

추억   204

여자   205

아침기도   206

그리움3   208

내 고향집에 가고싶네   209

인상   211

인연   212

기도 합니다   214

지혜 216

그대 218

목적지 220

지난 날과 지금 221

삭고개 할미당 222

낮 꿈 223

삐짐 224

지난 세월을 멈추고 225

목적지에 이를 때까지 226

눈 227

기뻐라 228

오소서 주여 230

어머니 232

오직 사랑 234

달 밤2 236

당신의 예수는 어디에 238

너를 그린다 240

그리운이 얼굴 242

색동 고무신 243

상 처 244

지나온 세월 245

네잎 크로버 246

시를 쓰면 247

죽음 248

슬픈 사랑 250

노인 252

사랑하고 또 사랑해도 254

그리운 생각 256

빗속의 이사 258

사랑할 때 260

요한 262

고백성사 264

당신 266

십자가 길의 예수님 268

힘든순간 270

노신사 272

고운미소 273

운명의 여인 274

어느 아낙의 서러움 275

긴 기다림 276

쓰다만 일기 277

엄마 279

기다림   281

모든 것을   282

당연한 것을   283

고백   284

작가의 이야기

들은 이야기 만큼
할 이야기가 쌓인 나이에
첫 시집을 출간합니다

이 시들은 대체로 짧고 단순하지만
나의 이야기를 찬찬히 이어가 보려합니다

끝으로 일기를 쓰는 내 모습을 보면서
시집으로 엮어보라 격려해 준
아들에게 고마운 마음을 전합니다.

나의 시

소소하지만
더러는 위안이 되고
쓸수 있다는 기쁨

지나온 세월
나도 몰래 눈물이 글썽이고

내 삶의 소리가 일상에서
그렇게 시가 될 줄은 몰랐다.

나의 시란
제목을 붙여 보면서
보채이지 않는 글을 쓰다보면

마음을 채우는 기쁨이 되고
위안이 되고
시가 되리라.

지나간 날들을 회상하며

한자 한자 또박 또박
써내려 가런다.
인생을 고뇌하던
나의 기억을 더듬어서

생의 애착심

떨리는 손을 맞잡는 행복
한 시대를 지나는
괴로움과 행복
선과 악이 떠다니는
위험한 속을
해쳐가는 생의 애착심과
아름다움으로 새벽
여명이 밝아옵니다

사랑의 길

세상 소리에
눈을 들어 하늘을 바라 보다가도
눈을 감고
기웃 거림도
외로움도
쓸쓸함도
못 견디는 그리움도
가슴에 파고들어
눈가 뜨거울 때

많은 것들로 귀기울이다 보면
이것이 사랑이나 보다

이제 내 삶의
작은 나를 깨우며

커다란 마음으로
내 영혼을 채워
사랑의 길에 서고 싶다

미처 말하지 못한
언어가 있듯이

언뜻 언뜻

너무나도 서러운 마음일 때
언제나 그랬듯이
언뜻 언뜻
못견디는 그리움으로
이글을 쓰다.

나를 누구라고 말하지도 못한채

내 생각은

세월의 흐름속에서
사랑을 마음안에
소중히 간직한채
꺼내 볼 수도 없었다.

아마
너무 고달팠던 탓에
사랑의 고백도 못한채

세월을 꼬박
지나 오면서
꾸밈없는 사랑으로
살고 싶었다. 너무나도

나의 이야기를
만들어 갈 순간도
내어주지 않았던 시간들

내 아픈 지나간 세월이

너무 안타까운데

누구
나는 누구일까

내 영혼은 언제나 세상을 향하는데
나는 진정 사랑함일까

삼킨 눈물에 마음이
짓물렀는데

만날 수 없는

만날 수 없는 너를
떠올리며
아픈 마음으로
아무리 많이 쓰고
또 쓴다해도
할 말들이 남는다.

성당에서

조용한 성당에서
너를 떠올려 본다.

나의 두 손안에 묵주를 움켜쥐고

성모 어머니
애만 타는 기도는
가슴을 짓무르게 하지만

어디에서
어떻게

소리없는 눈물만 아픈데
너는
어디에

아직도 나의 귀에 들려오는
너에 울음소리

그리고는 성모 어머니
피가 마르는 서러움

세상에 숨어 울어도
나날이 살아 오르는
그리운 이름하나가
가슴을 파고듭니다.

달뜨는 저녁

밤하늘에 비친 달빛
어디에서 저렇게
아름다운 빛이 났을까
경이롭고
신비스럽다.

달을 바라보면
그리움의 무게가 더해진다.

달밤

밤하늘 달 걸음 따라
내 마음을 모두우고
기도 한 자락으로
마음을 달래다
또다시 가슴시림

달님
달님
달님이라고

그리고는 더는 말을 못하겠다.

태초부터 있었던 저 달님
달걸음따라
어떤이들도 나처럼 일까

달님
달님
그리고는 그래도 달님이여

억수 전창인 마음을 모두웁니다.
내 방창 밝을때까지 비추기를

인생여정

인생의 여정에서
되돌아 보는 사랑과 아쉬움
어쩌면 부질없을지도 모르는데
인생은 진지하다.

인생

눈물이 많은 이들이
인생을 얼마나 더 살기 위하여
발자국을 남긴다면
어떤 많은 의미가 있을까

마음으로 살려하니
가득 채울 여백이 없어
더 많이 초라하던 마음

훌쩍 떠나는 여행자처럼
흐르는 세월을 떠나보낸 뒤
가벼운 마음으로 갈 수 있을까

아쉬운 것들 투성이
늘 여운처럼 다가온 그리움

모든 것을 느낄 때
비로서 허전스럽건만
무엇이 그리 욕심스러운지

내 안에 가득인 사랑
내 안에 가득인 그리움

버릴 수 없다고 도리질해도
살아 날뛰는 채울 수 없는 아픔들

그러나 한결같이
인생은 아름답다고 말하련다.

긴 세월

고여왔던 슬픔과
목마름도
망설임 없는 사랑

너는
정말로 사랑하는 사람이구나

너는

너를 바라보고 있노라면
기쁨과
웃음과
사랑이

사랑하는 나의 너
말이 없어도 다 아는 사랑
마음과
눈빛이 통하여
건네지는 마음

행복
설레임
풍성함
너그러움으로 의지가 되고

너로 인하여
내가 이렇게 살고 있구나

삶이란
거세게 가슴을 흔들건만
그럴때마다 따스운 마음

너럭 바위같은 내야 너

너를 바라보면은
함박웃음
든든함과
따사로움으로 의지가 되고 행복하다

사랑하는 내야 너로

예수님

당신도 어느때는
어린 꼬마였지요

하늘에서 내려와
나만한 나이가 되셨을 때는
어떤 생각이 드시던가요.

밤이면 무릎끊고
잠자리의 기도로 마무리 합니다.
이렇게 마음을 모두우고

하느님

당신이
그렇게 거기에 계시나이다

하느님
그리고 눈물이 방울 방울

내 인생에
사랑의 옷을 지어준
당신에게 되돌아 갈때까지
모든 부끄러움과 욕됨을
없게 하소서

나 자신을
철들게 하시고

그리고
모두를
모든 것을
사랑하게 하소서

내 주 하느님

보고 싶어도

아무리 보고싶어도
만날수가 없다.

아픔을 삼키며
너를 떠올리면

오늘은 유난히도 더 많이
마음이 아프다.

그리움

견딜 수 없는 마음으로
이 길을 알면서도
선택해야 했던 것들

어미이기에
오늘도 빈 걸음으로
문밖에 서면
그리움은 마음을 보챈다.

만날 수 조차도 없는
세월을 살아 오면서도
산발한 마음
심장을 도려내는 아픔
갈수록 더하는데

너는
어디에서
어떻게
어떤 모습으로

살고 있을까

오늘도
나는
억수 전창인 마음을 부여잡고

너를
떠올리다 만나는 아픔
어쩔 수가 없고 만다.

이것이
나의 숙명이나 보다.

기도

누군가를 위하여
기도할 수 있다면
그것으로 행복하리라.

그들이 나의 기도를
잘 받아 가기를 바램해 본다.

오늘도 난 그들을
여전히 사랑하기에

그들을 위하여
기도 할 것이다.

그래 알아

내가 대답하면
그들은 또 교만해진다.

그럴 줄 알면서도
내 자신 괴롭지 말자고
그래 알아라고 대답한다.

작은 일들
그대들에게
위안이 될까 싶어서니
힘들거든 가만히

기도하는 나의 모습 떠올려 보아요.

그대들의 마음을
맑고 곱게 살랑일께요

내 대답은
그대들을 위하여

행복과 건강
웃음이 충만하도록
무거운 마음을
잠시 내려놓고

기도 할께요.

행복해라

내가 괴롭고 아파하면
곁에 있는 너는
더 아파 하겠지.

너를 위하여
빈약한 마음이
되지 않을 것이니

너는 그냥
날마다 행복하기를

체 념

잊고 산다는 것은
서러운 일인가

언뜻 언뜻
잊고 살다가
발광하는 그리움

너는
또
내 곁에서 아파한다.

산발한 마음을
그렇게 추스리는 것도
너로다.

그냥
심장을 도려내는 듯이
그렇게 아프지만

모질게 추스리는 건
너로다

네가
나를 바라보면
너무 아파 할까봐

움추린 마음을 다독이며
너의 곁에서 안간 힘이니

너야, 너는 그냥
침묵속에서도 아파하지 않기를
아파하지 않기를

말

말로 사람의 마음을
아프게 한다는 것은
너무나 잔인하다.

그래서 고요한 마음으로
침묵한다.

그러나 외롭다
혼자라는 것이

서글픈 말

대지에
비가 내리듯

내 마음에 눈물 흐르면
마음에 스며드는 외로움

이 우울함은 무엇이런가

(혼자)라
서슴없이 내 뱉던 한 마디
그런후로 나는 그들에게서
입술을 닫아버리고
마음을 닫아 버렸다.

언젠가
그들도
혼자가 될 것을
지금은 실감 못하지만

그때는
그때는
그들도 나처럼 아파할테니

지금은
그냥
입술을 다물어 버리자.

떠난 그대

때로는 그립기도 하지
때로는 미웁기도 하지

그러나 혼자서
발버둥치는 그리움이다

일찍 떠나버린 그대가
너무나 미운 오늘
괜시리 투정이 난다.

꿈

꿈이라고 묻는다면
아직은 모르겠는데
먹먹하여진 가슴이
포근하고 싶다.

추운 몸뚱아리를 뉘일
보금자리 보다도
포근함이 더 그리운 오늘
눈시울 붉어지면

너는 나에게 누구인가
누구라 말할까

사랑을 잃어버린
여자의 한스러움

가슴에는 피멍이 맺혔건만
너는
침묵 뿐이다.

수선스런 마음을
잠재울 수만 있다면
이대로도 좋으련만

가슴이 텅비이고
시린 아픔이 도사린다.

홀로 드러누운 밤
승냥이 같은데

그대는 지금
어디쯤에서

예쁘단다

요즈음 괭한 마음으로
수선스러운 마음을
다독이며 잠잠하려
안간힘인데

동네 아낙이 우리를 보고
예쁘단다
너무 예쁘단다

사랑의 힘

사랑의 힘은
우리를 일으켜 세우고
행복하게 합니다.

사랑의 힘을 믿으며

너와 나

예쁘다
너무 예쁘다
우리 너무 예쁘다

날마다
날마다
그럴 수는 없다 하여도

마냥
예쁘단다

오늘을 떠올리며
날마다
예뻐지자

누가
우리를 예쁘다 그러더라
너무
예쁘다더라

사랑의 길

사랑의 길
환한 햇살

마음을 어지럽히지 않음도
사랑의 힘
더 크게 다가올 행복

우리곁엔 사랑의 힘이 있습니다.
영원토록

생각

생각은
우주 같은 것이라고
누군가 말했을 때

나는 미소지었다
과연
생각은 무엇을 의미하는가

웃는 모습

웃는 모습이
너무 예뻐서

자꾸만 웃어 주기를
웃을 수 있다는 것은
마음에 여유가 있음이다

함박 웃는 너를 바라보며

사랑해

이 한마디 말이
환한 햇살처럼
내 마음에 용기가 되어준다

마음을 설레이게 하는
이 한마디
온 마음으로 사랑한다고
말하고선 미소짓는다
어색한 웃음을 웃지만
진실한 마음을 내가 알기에

허전스러웠던 마음을
삽시간에 녹여낸다
너는 항상 그렇게
내 마음을 설레이게 한다

너야

네가 나를 보고 웃어 주더라
그래서 행복하다

너무 좋아서
또다시 웃어 주기를

너야
참 좋다

너는 내사랑
너는 나의 친구

사랑해 2

사랑해
사랑해
사랑해

그래 사랑해
그래도 사랑해

나의 사랑이
아직도 필요하다면

사랑해
사랑해
사랑해

너를 품에 안고 살아온 세월

용기와 굳셈으로 채우고
사랑의 불이 타오를
때로 타오른 사랑

사랑 하나로 버텨온 우리
아니 잘 참고
살아와 준 너
때로는 서로가 아파도
몰래 숨어 울면서도
사랑으로 견뎌온 세월

그래서 나는 이 사랑을
더욱더 사랑할 수 밖에
어떤 말로도 표현할 수가 없지만
사랑해 ...

마음

속깊어 고귀한 신선함이
가득인 마음

상처가 아파 터져나온 슬픔
그러나 기쁨을 모아드린
아들의 마음

나는 사랑

그렇게 많은 날들을
사랑이라고 말하기엔

가슴이 벅차지만
사랑이라고 말하련다

이것이 사랑이라고
내 보일 수는 없다 하여도
사랑은 진실한 것

너의 전화

지금 어디 계세요

"응" 바로 근처

빨리 집으로 돌아 오라는
먹먹한 음성

사실은 마음 아플까봐
잠시 자리를 비켜 주는건데

막상 나오니
오갈때가 없어 길가에서
헤메었는데
빨리 들어오라는 말에
웃음이 났다

그러나 마음이 미안하고 고마웁고
먹먹하다

가슴에 안기운채

가슴저린 아픔도
사랑인가
심장 소리가 너무 아파
차마 떨어지지 않는 입술

안기어 있으메
휭하니 눈물이 돌고
정복할 수 없는 세월이
원망스러운 오늘

악몽의 시간들을 지나
생명을 부지하는 날들을
살아가야 할 우리니까

아파도 꾹꾹 눌러 참자

이다음
좋은 날이 올때까지

그래

나는 잠자코
고개를 끄덕이지만
너에 말을 결정하지는 않는다
하도 신중하여서

진정한 마음인줄 아니까
진정한 사랑을 하고 싶어함

이윽고
네가 자리에서 일어서며
나에게 약속을 청한다

너만 믿으라고
나의 손을 잡은 채
우리는 말이 없이
한참을 서 있었다

너만 믿으라고
너만 믿으면 된다고

효도 할 터이니
조금만 기다려 주고
너만 믿으라고

그런데도 난 아무런 말을
할 수가 없다
너무 미안하고 가슴이 아프니까

나를 꼭 품에 안아주는
너의 심장 소리가
너무 아프게
나의 귀에 들여 온다

주여

비록 내가 당신께
말대답을 하여도
당신은 의로우십니다

그 만큼 또 내 항변이
의로움이 되게 하소서

내 사랑하는 분이시여
나를 징계하는
모든 것들을 물리치시고

내 생애를 보내는 나보다
더 번영하게 하소서

둑의 떨기 풀도 그 잎이
무성하더이다

주님을 만나는 시간

마음 깊은 곳의 기도는
겸손과 인내가 되고

뜻을 따라 모든 것
정든 것을 버리고도
사랑의 숙명이 넘치도록
저는 날마다
당신을 대합니다

아름다운 당신의
내가 되고저
삶의 지혜를 깨우칩니다

차가운 내 마음을
사랑하는 마음으로 바꾸면
나의 삶이
사랑이게 합니다

나를 깊이 들여다 보는

기도의 시간들

언제나 감사합니다
제가 절망의 한 가운데에
서 있을 때에도
당신이 나를 불러 주었습니다

주님 저에게 항상 그랬듯이
당신이 먼저 찾아 주소서

저에게는 아직도 용기가 부족 합니다
용기가 부족한 저라는 걸 아시오니

제가 누구인지
오늘도 어서
말씀해 주시고

저의 매일을 새로이 하소서

성모 어머니

조용히 흐느끼는
마음

바람이 불고
잠못드는 밤도
나는 어머니를 붙들고
묵주를 들었다

나와 함께 하여 달라고
그리고 심판 날에도

잠들지 못하는 밤

잠을 이루지 못하고
뒤척이며 웅크린 마음

바람이 스며들어
냉기마저 가득이고
어둔 새벽까지 부는 바람에
잠들지 못한다

바람 꽃
세파에 찢기워진 마음탓에

이밤
바람꽃이 되다
여인의 마음의 슬픔이
잠들지 못하고 뒤척인다

그러나
불처럼 타오르는 영혼이고 싶다
많은 것들이

이밤 여인의 마음에 남아
의미를 남기고 있습니다
부드러운 것
상냥한 것들
마음은 의미에서 벗어나
바람꽃 되어 뒹구는데

너

사나운 마음을
순하게 하는 생각
무게가 줄어드는
마음으로 바꾸고

총총한 걸음으로
보도위를 또박 또박 걸으면
낯선 그리움이 찾아든다

나의 눈물이고
웃음인 너
아무리 고달파도
너로 마음을 적신다
오랜 세월 속에서

노할머니와 자비

남몰래 가슴아리 하는
과수댁의 아픔이
진하게 전해져 오고

바람과 함께
묻어오는 이 겨울
그리고 대지는 하얀 눈세상이다

멀리서 비둘기 푸드득 거리고
물밀어 가는 사람소리
바람이 을씨년스럽지만

이 겨울은 옷깃을 여민채
마음이 움추려 든다

도로위에 쭈그리고 앉아 있는 할머니는
비둘기 모이를 손에 들고
구구구- 구구구-

기일

까까머리 중1자리 아이가
어느덧 장년이 되어
아비의 기일을 챙긴다

한스러운 모습
속으로 울음을 삼키며
홀로 향을 피워대며 중얼거림도
아비와의 대화일까

살음이 서러운 오늘
등뒤로 흐르는 슬픔이어라
살아온 정 못다 잊을
영혼을 붙들고서

기일 2

못잊고
못 잊는 것이 서러운 이야기
어느새 마음속 눈물이 되고
눈물을 견디기엔
가슴에 파고들어
시린 아픔이다

해질녘 마음이 타고
모이는 사람들도 슬픔을
참고 눈물이고나

서러움을 감추어도
정성껏 마련하는 잿상위에
슬픈 마음을 함께 얹어
참았던 눈물이 터지면

눈물 소리가 사라지지 않는
상여집 같음

고개를 떨구우고 아이가 연신
향을 피워댄다
마음이 쓰리도록 슬프겠기에
모르는채 분주한데
마음은 어정거리고 서러웁다

아이가 애처러워 보이고
내 마음에 속속 드리붓는
아픔은 서른 다섯해를 맞는
인사도 없이 떠나버린 그에게
아직도 못다한 이야기가 있는데
오늘이 서른다섯해 기일이란다

차별화 된

삶의 자세
눅눅한 마음을 씻어 줄
바람 한 자락

인생은 경영 한 자락이며
굽이
굽이
돌며 걸어온 삶

나이를 먹는다는 건
소중한 아름다움이다

지난일은 지난날에 묻고

나이를 먹는다는 건
쓸쓸함과 외로움

그리고 사랑을
하나 둘씩
채워가는 일입니다

결국은 다 비우고 가야할 것들
버리지 못해
꽁꽁 짊어진 채
사는내내 울고 웃는 것이지요

지금
가끔씩 고단함으로 고개 젓지만
구부정한 어깨위 햇살의 손짓
그렇게 고개 끄덕일 수 있는
소중한 일상에서도
행복은 늘 반짝입니다

그리움 2

창백한 마음이라면
니들은 알까
멀고먼 마음들로
서먹하여진 우리
언제나 그렇듯이
잘난채 말고
겸손한 자세
그것이 큰 그리움

희망

희망이고 기도입니다
묵주를 들고 너희들을 떠올려 본다
보고싶다는 마음을
억제하고

나
너희들을 위하여
너희들이 보고 싶을때는
기도로 바꾸련다

정

서로 어우러져 기대고
살아야 하는게
사람이 아닐까

마음이 따사로울수록 서로 익어
아끼고 의지하면

그로 인하여 든든한
정이 흐르고
노여움을 덮는 법

넓디 넓은 사랑이 싹트리라

서로 부대끼고 아끼다 보면
만나지 못하여도
그리움이 솟아나고

넉넉한 마음으로
서로를 보듬지 않을까

나의 형제들

그대로 다 나의 곁에 있건만
왜 나는
가슴이 허전할까

사랑하나에 그리움 하나
더해 갈수록 더 큰 빈자리
그것은 채울 수 없는 그리움

보고싶다 많이

이 시는

어디에서나
쓸수 있는 언어 들이지만
성숙한 마음의 시는
나를 설레이게 한다

성숙한 시를 쓰고 싶은
마음이다 마음같아서는

웃는 얼굴이 너무 예쁘다

아름다운 웃는 얼굴이
하도 예뻐서
몇자 적어본다

너무 예쁘다

소소한 이야기

이쁜 인연들
아프디 아픈 마음을
겨우 추스르고 났는데

써 모은 시들을 펼치다가 만난
사연들이 마음에 들어온다

이 모든 사연들이
내 마음을 살랑거리면
그것이 바로 사랑이리라

일상의 소소한 이야기로
언제나 나는
설레이는 마음으로
이렇게 글을 써본다

일상의 소소한 이야기들을

너야

함박웃음
그리고 호탕함

그렇게 네가 나를 보고 웃는다
또 다시
웃어 주기를

어머니의 살풀이 춤

어머니의 녹음 테이프를 틀다
고운 어머니의 모습에
마음이 메어와
이 글을 씁니다

무슨말이 필요할까
은혜의 마음이
깊지 못하고
가벼웠던 때

어머니는 얼마나
외로웠으면, 살풀이 춤을
배우셨을까

이제는 슬픈 그리움에
목이 메이고
웃는 모습 보고싶다

하지만 모든게 침묵이다

어머니의 살풀이 춤만

아른거린 채

어머니의 목소리

이제는 불러도
대답이 없는
나의 슬픈 어머니의 목소리

어머니를 떠올리다 흘린 눈물은
더욱 슬퍼지고

어머니의 영혼을 위하여
연도 기도를 올리면

어느 날 문득
꿈속에서 어머니를 뵈었습니다

어찌나 고우신 모습이던지
하염없이 울던 나를
뒤로한채 그렇게 홀연히
하늘 오르시던 모습

포근하게 감싸주던

어머니의 조건없는 사랑은
그렇게 이제 멈추었는데

아직도 슬픈 나의 어머니

지난날의 어머니의
기도 소리가 들려 옵니다

그녀

그녀의 마음엔
사랑이 메마르고
어둡고 칙칙한 모습
인색한 변명 뿐
그래도 다시 밝아지길
기도하며
그녀를 떠올려 본다

초췌한 모습

어디쯤 와 있을까
인생 종착역을 안다면
이렇게 거울에 비친
모두는 맑아지려
노력할 것이다

사랑하는 사람 사이에서
착한 마음으로
그들을 위하리라

그런데 그들은 자신들의
안위는 안중에도 없다
힘들고 지치고 찌들은 모습 하나가
눈에 들어온다

오늘도 그렇게
나의 곁을 스쳐 지나간다

새파에 찌들은 모습

바둥거리는 몸부림

그녀의 모습에서 묻어나는 곤곤함
현실에서의 행복
그것을 찾지 못하고
욕심이라니

그런 그녀를 대하기란
조금은 부담스럽다

잊은 척

숨쉬는 고마움
내가 사랑하는 것
당연한 것을
늘 잊고 살다가

언뜻 언뜻 떠오르는 모습
잊지말자
잊지말자
잊을 수 없음을
알면서도 잊은척

하늘만큼

사랑하리라
사랑은 마르지 않는
샘물 같은 것

하늘만큼 사랑하며 살자

꿈

밤에 눈을 감으면
오만 상념들로
스치고 지나가는 모습들
꿈에 만났던 사람
그리운 모습

다시 꿈으로 돌아가
만나고 싶어
뜬눈 감으면
저만치서 미소를 짓네

존재의 이유

한치 앞도 내다보지 못하지만
불현 듯 살을 에이는 고통에
누군가에게 분노가 일고
슬픔이 가득할 때
일탈의 여지가 없는
갇혀버린 마음
그러나 이제는 주저하지 말자

또 나대로 최선을 다하다 보면
이해에 좋은 일들 있으리니
언뜻 언뜻 숯처럼
타들어간 마음일 때
푸석한 나의 모습이 떠올라
후다닥 놀란가슴
이제는 벗어버릴 수 있기를

기도 한 자락으로
내 마음을 채워본다

이 또한 존재의 이유일터이니

기억

꿈에도 생시에도
내려감는 눈에 살며시 비쳐오면
떠나간 사람들 모습이 떠올라
마음에 서성거림도
못잊는 추억이려니
좋은 생각으로
집잃은 내 영혼이 아니기를 바라며
마음 한 켠을 채운다

내 마음에 깊이
자리잡고 있음도
한 낱 꿈결같은 허망함
여지도 없이 쓰라린 가슴

달빛 푸른 밤이 고요하고
세찬 바람은 대지를 휩쓸고
눈을 뿌린다
싸아한 가슴 가다듬을 새도 없이
그리움에 떨리는 가슴속을

자리잡고 있는 허탈함

이 밤바람이 나를 건들면
잊었던 모습이 떠올라
눈물이 날 것 같다

너를 바라보니

때로는 지치고
힘들기도 하겠지
당연한 걸 알지만
그런 모습을 바라볼때엔
마음이 너무 아프다

나머지는 먼 미래의

웃음이리라
지친만큼 소리내지 못하면서도
시간의 공존에 동류해라

너야
지금은 흔들리지만
지혜롭지 못한때에도
순간은 있는 법
절대로 포기할 수 없는 삶

다들 외면하여도
너는
새싹 움터 물오르고
꽃피운 마음 정원을
가꾸어 보는거다

삶은 그렇게
아프게
모질게

혹독하게 지나
부드러운 미소로 돌아오는 것
그리고
새롭게 피어나는 것

너야
힘들다고 지치지 마라
그리고 일어서는 거야

눈을 감아봐
너를 바라보며
어머니의 큰 강이 되어 보련다

황당한 질문

다시 기억하며
그들을 따라갔다

그들은 큰 소리로
떠들며 웃고 있다

나를 바라보며
그들이 하는 말

혼자서 외롭지 않으세요
귀가쫑긋

마음으로 사랑하기를
세상을 바로 바라보기를

그믐 밤

달무리속에 숨어
발광하지 않으려고
발광하지 않으려고
망혼이 되어 떠도는 밤

여민 가슴속
후빈 마음을 알겠기에
그냥 무성 무음으로 만의 흔적
한 토막 밤과도 같음이여

어느 달에서 내려온 전설이련가
아파라 아파라
너무 아파라
그믐 밤 달도 없는데

뉘댁 곡을 붙이지 못하는
기도소린지
윙윙 거리는 벌떼같은 울음인냥
구슬프기만 하구나

어느댁 뉘 규수인지
애타게 부르는 성가 소리는
울음이 묻어나
가슴을 치는구나

낙엽

바람에 날리는 이파리
낙엽되어 뒹굴고
헐벗은 대지는
찬바람 스치건만
낙엽이 외로이 구르는 소리

이제 긴 겨울이 다가와
흔적도 없으련만
시간은 바삐 흐르고
떨어진 낙엽은 뒹구는데

햇빛가린 망월에서

쉬입없는 허탈함으로
할키우고 지나간 자리
도리질 절래 절래
몹쓸 인생사

사나운 그리움만
목이메인 아낙
구름이 이리 저리 저문 하늘가
삭은뼈 녹아내려
시린 세월 머리에 이고

오늘은 마음따라 달려 왔더니
영혼의 아픔이
산채만 하다
저미는 가슴
울지 못함도
정으로 메어둔 마음
망월에 메달고 서러운 날
시린 아픔도 내것이런가

밤깊어 고요속에
그대 상혼을 메어두고

넋이 되어
고웁지 못한 이 그리움도 사치인가

보고파 그리우면
그대는 어느집 망혼인지

오늘은 마음따라 달려 왔더니

그 집 앞

잊을 수 없어
그 집앞에서
오래 머물렀다

아름다운 추억
쉬어가는 내 발자국

맺은 인연
향기되어 남으면

매 순간마다
아름다운 사연

지쳐 있을때에는

그러는게 아니에요
마음에 말을
신중하게 하여요

눈으로 부드럽고
마음으로 손잡아 주는 사람
소리내지 말고
기도해 주어요

지친 사람은
외로움과 쓸쓸함의 집속에
갇혀 버리거든요

나무라지들 말아요
손가락질 말며
가르치려 들지 말아요

가만히 기다려 주는것도 사랑이에요

그가 웃으면
우리도 웃어주고
대책없이 울면
길을 가르쳐 주어요

인내와 안간힘으로
버티고 있는 지금
두렵고 무섭고 떨린 거예요
포근한 가슴으로 안아 주어요

기다린 마음

바람으로 노닐고
기다린 마음
가슴으로 녹이고

사랑의 노래
흐르는 세월의 그리움
마음만 애타 머문다

복들어 온다

굶지 마라
아프지 마라
슬퍼하지 말아라
지지 마라
일어서라

화이팅

복들어온다
경사났다

너는 세상에서
필요한 사람

내 고향

산새 소리
아름다운 계곡
맑은 물
푸른 숲
흘러온 세월

바람부는대로 나부끼고
은은함으로 반겨주는
즐거움을 나누는 소리

매서운 북풍에도
아랑곳 하지 않는 곳
내 고향
마주하는 산자락

우리 할머니

할머니 하면
떠오르는 하얀 모시한복
쪽진 비녀머리
하얀 고무신

솔바람도 조용한
방죽안에서 한 마리 학처럼
고운자태

그러나 어린 계집아이의 눈엔
왠지 외로워 보였다

홀로 걷는 걸음이 노송처럼
쓸쓸해 보이는 것도
할머니 홀로여서 였을까

바람잔 오후 늦은 시각
솔향기 그윽한
밤골째를 내려오시던 쓸쓸한 모습도

어린 계집아이의 마음을
짠하게 하고
눈물나게 하였다

할머니를 바라보며
흘리던 눈물
할머니를 유독 좋아하던 나

지금은 할머니를 볼수는 없지만
내 마음속에 포근히 자리한 이름

깊은 사랑

깊은 사랑으로
말없이 감싸주는
찬란한 빛

어둠속에서도
밝은 모습 보이는데
포근한 품속
아름다운 사랑

덧없는 세월은
모두 지나고
마음속 그리움
황혼이 찾는구나
내 마음 심는 자리에

잊을수가 있을까

시간이 지나면
더러는 잊혀진다지만
언뜻 언뜻 떠오르는 그리움
세월이 갈수록 더욱더 또렷함

또렷한 빛깔로 언제나
나를 애워싸고
금방이라도
가슴을 치는 짠한 모습
한없이 살아 올라
가슴이 미어지게 아프다

오늘은 내안에
스며들고 눈물나게 하는데
죽어서도 잊을 수 없는 이름
한스럽게 살아온 오늘
그렇게 떠오르면
심장을 도려내듯 그렇게 아픈데

너를 못만나고 오늘도
하루가 간다
그리움 때문에 방향을 잊은채
사랑이라는 것은 결국
헤어져야 하는 서러움인데
견딜수가 없고 만다

말없는 속삭임

기나긴 밤
지새는 속삭임에
가득찬 마음열고
타오르는 그리움에
기다리는 마음

말없는 속삭임으로
아름다운 사랑 전하겠지

한 줄기 기다림

왜 우리에게
삶이 아름다운지
우리의 진실
어느 날 우리 곁에서
떠난다 해도 이렇게 서서
삶의 퇴색한 빛깔
침묵의 시위

한 줄기 기다림은 긴데
그토록 보고파 가슴 조이면
멀리서 밀려오는 그리움
인생은 홀로인가

내 마음 사랑보다 큰 행복
간밤에 떠나
이 마음 한 것, 부풀어 오르면
반가운 미소로 마주한다

만나야 할 사람

오늘도
내일도
결코 잊을 수 없다
언젠가 만나야 할 사람

긴 세월 머뭇거림도
언제까지나
너를 만나기 위하여
만나야 하겠지

다른이의 아픔

우연히 돌린 티비채널에서
울고 있는 작은 여자아이

어찌 그 어린 꼬마가
영원한 이별의 아픔을
견디어 낼 수 있을지

섭디 섭게 우는 아이
어미를 떠나 보낸 서러움

보는이들이 하나같이
가슴아파 울고
어린아이가 울고

이제 아홉 살밖에 안된
어린 꼬마는 어떻게
세상을 살아낼지

어린 딸을 홀로 남겨두고

어찌 눈을 감았을까
가슴이 너무 메어온다

걷잡을 수 없이 마음이 춥고
외로웁다

섭디 섭게 우는 아이가
눈에 밝혀 잠들수도 없는 밤
잠은 안오고 덩달아
살아 오르는 서러움

그 여자아이가
너무 안쓰럽다

친구

마음에 남아
시간을 잡아둔

향수에 젖은
친구의 소식

간절함으로 애태우고 나면

그녀는 나의 눈앞에
아른거리고
머물러 반겨준다

주여! 성모의 아드님

할말이 이어지지 않아
어떻게 할 수 없을 때

내 마음에 감춘 깊은 마음
성모의 마음에 넘친 기쁨이여

하느님을 사모하는 마음
말씀을 떠올리면

마음이 타오르고
마음의 즐거움
이 마음은 기쁨을

숨기지 않고
외치지 않으면서도
마음에 가둔 기도의 말
사람들은 시샘을 합니다.

십자가의 죽음을

방패로 삼고
그리스도의 죽음은
은총의 보호가 되고
육신의 몸이 죽음에 이를 때
바라건데

나의 영혼의 은총을
베풀어 주소서

아버지

십남매 키우시며
갖은 어려움 많았으련만
근심 걱정 안으로 삼키시고
고생속에 시련을 겪으셔도
할머니 모시는 일
소홀함이 없으셨고

어쩌다 아버지집에 들리면
언제나 열심히셨던 모습
얼굴엔 미소를 지으신채

모질고 험한일
어렵고 힘들어도
선한 마음
법없이 살다가신 내 아버지 바오로

마음의 정

마음에 정 엮어서
보내는 이 마음
지금 한껏 사랑하지만
언제가는 잊으리

그대 잊지 말기를
사랑스럽고 예쁜그대
세월 지나면 덧 없어지리

세월이 흘러간다
오래 정답게 살던 육체로부터
창백하고 야윈 내 영혼

인간 세상이 부러운 것들

돈도 명예도 우습게
여기며 간다

늙음이 찾아온 어느 시각

이미 피곤에 지친
눈시울은 졸고

내 육체는 세월을 따라
흘러가고
어느 강 기슭에 닿아 해체되어
죽음을 바라보는 내눈은
마음의 정 엮어서
세월위에 놓는다

첫 사랑

가슴속에 간직한 첫사랑
사랑한다고
차마 고백도 못하고
떠나온 사랑

흔들리는 내 영혼에
작은 사랑 하나로 남아있네
그는 누구일까

꿈 2

산속을 훨훨 날아
마음껏 비상하는 몸짓
험한 길에서
세월의 위험속을 지나
자유의 몸짓
그리운 곳 어디이던가

가는 곳 돌이켜 보면 천리
자유의 몸짓은 비상하고
정처도 없이 찾아서
날으는 한 마리 새

날아온 곳을 또다시
날지는 못하지만
팔락 팔락 날아가는 것은
꿈과 현실의 중간이어라

햇빛스며 만드는 숲속
푸드덕 거리며 날다가

손을 뻗처드니 꿈이었다

나의 맘 가운데
속 시원한 날갯짓
내 영혼이 얼마나
답답하였으면

작은 한 마리 새가 되었을까

빈 자리

빈 자리마다 상처고
아픔인 것을 알고
슬프게 울고 있구나

언제나 선연한
가슴 미어지는데
슬픔을 뿌려놓고 간 당신은
하늘에 계시는지
속세의 시름덜고
무심히 누운 그대

서러움에 안겼으니
눈 덮인 저녁
눈물이 앞을 가린다

빗소리

유리창을 툭툭치는 빗방울 소리
온몸 적실 듯 한
채비로 떨구네

새록 새록 고개드는
삭혀 온 인생
어둠 속에서 헤메이고
그도 모자라 소낙비였든가

어느새 지난날이 떠올라
생각속에 헤메인다

비만 오면 생수가 터저나
작은 샘을 만들던 그 시절
긴 세월 고여왔던
슬픔과 목마름도
저 소낙비 속에 가두고
영혼은 그렇게
을씨년스럽다

비내리는 밤
빗속을 헤메이는
가느다란 기다림도
가슴속에 스며드는
울적한 마음

울적한 마음에 울리는
비의 소리여

이루지 못한 사랑

소리없는 미소로
고개를 끄덕이는 소녀
말을 잊어 버린 듯
조용한 미소만이
끝없이 번지는 슬픔

사랑을 잊어 버리고
홀로 떠도는 마음
언제
어디서나
소녀는 무엇인가를
두리번 거린다

사랑하나 이루지 못한채

도시에 갇힌 여자

도시에 갇힌 그녀는
푸석한 얼굴로
밖을 내다 보며 중얼중얼
맑게 갠 하늘과 예쁜 환한미소

그뒤에 숨어우는 갇혀있는 여자

피곤한 육신을 연신 웅크리고 서서
파란 하늘의 미소를 바라본다

묵주를 들고서도
기도가 되지 않는
아픈 숨소리는
흘러가는 조각 구름

그녀가 슬퍼한다
시간이 빨리 지나 갔음을
마치 맑은 대기속을 지나갔음을
맑은 대기속을

소리없이 멀어지는
천사의 눈물인양
대지의 노래는
그치는 일 없으메

쓸쓸한 마음이
고요함을 감돌 때
떼지어 울어대는 바람소리

도시의 여자가 그렇게 갇혀
멍한 시선으로
먼데 먼곳을 향하니
고요함마저 감돈다

작은 무덤하나

청솔밭에 누워있는
작은 무덤하나
서럽게 누워 있구나

눈물로 떠나
눈물로 맞아주고
반 넋이 된냥

오늘도 그곳에 들려
향을 피우고 나면
서러운 어미
간장만 녹고

아기의 숨결이 들리는 듯하고
어디서 그렇게
포근함이 찾아드는지
가슴을 태우고 지나간
밤과는 다르게
슬픔이 흐른다

깊이 메어진 멍애

긴 흐느낌
하염없이 타는 마음
가슴막혀
창백하여진 채
지난날을 회상하며
눈물 짓는다

아무 말없이
아무 생각없이
가슴속에 너의 서러움이 달려
방랑객 같은데
이내 육신은 가눌수가 없구나

눈에 비친 너의 모습
이 마음 붙잡고
너는 또 홀연히 사라진다

가혹스런 희망으로
황페하여진 가슴은

바람만 불어쳐도
등떠밀어 너무 시리다
바람만 불어도
너의 숨소리인 듯
깊이 메어진 멍에로부터
서러운 옷을 입는다

망골산 어머니

어머니 지나는 길에
눈시린 자태
마음으로 맞이하면

눈보라 꽃가지로 맺어지고
몇 번을 돌아보아도
몇갈래로 나뉘인 슬픔
하나 피어
꽃샘 바람속을 떠도는
슬픈 사연

어머니 계시는 망골산
긴 세월
벙긋이 열고
마음아파 돌아서면
마중나와 웃어주네

산 부엉이 울고
멧세우는 겨울 바람속에서

감나무 그네

감나무 가지에
새끼줄로 그네를 메어달고
어린시절 친구들과 함께
그네를 타며

하늘높이 날아가는 듯한
기분에 웃음꽃을 피웠다
행복했던 그때 그 시절
잊지 못할 추억들

이제 그네는 없지만
아직도 내 가슴속에
아련히 남아있다
지난날 어린시절의 추억

그때 그 시절로
다시 돌아가 보고싶다

수놓는 처녀

깊은 밤
저녁수를 놓는
처녀의 손길이 분주하고
바늘 끝에 고운 색실
손끝따라 꽃을 그리는
목단 꽃 자수
원앙새 한쌍
참으로 신비스럽고 아름답다

그러나 처녀는
수를 놓으면서도
연신 한숨을 쉬어댄다

왜냐고 물어도
대답없이 쓸쓸한 미소만
남기는 것은
보름후면
서울로 시집을 간다는 처녀는
바삐 손을 움직여
수를 놓는다

허수아비

어린 소녀는
허수아비를 그리며
꿈을 키웠다

소녀는 허수아비를 그리며
화가가 되리라는 꿈을
굳게 다졌다

소녀의 상상속
살아있는 듯한 허수아비
노란 황금 들녘에 서서
소녀의 꿈을 지켜 주었네

허수아비는
소녀의 든든한 친구가 되었네
소녀는 모든 이야기를
허수아비에게
털어 놓았네

허수아비는
큰 눈으로 밝은 미소를 지었네

소녀는 허수아비를 보며
이 다음 화가가 되면
더 멋있는 그림을 그려주마고
약속을 하며
꿈을 키워 나갔네

노년의 삶

남들은 기쁘다는데
소금에 저린 염전같은 마음
근심걱정 떠난날 없는 것이
내 부족함 탓이라
누구를 원망하랴

노년의 삶이 버거웁다

촛불을 켜고 기대인 마음

성모님은 아시겠기에
성모님 만큼은 아니더라도

내 마음 그렇게 많이 아픈데

뽀얗게 내려앉은 밤처럼
내 마음이 주최스럽다

할머니의 아리랑 춤

할머니는 아리랑 장단에 맞추어
춤을 추셨다

허리춤을 흔들며
손을 뻗으며
할머니는 혼자 춤을 추셨다
하지만 관객은 없네

할머니는 왜 춤을 추셨을까
그 모습이 슬펐다
무엇을 추구 하였을까

할머니의 춤은 내게
질문을 던졌다

마치 꽃처럼
우아하고 곱게 피어
나는 것 같았다

할머니의 눈에는
눈물이 대롱대롱

아리랑 아리랑 아라리요
아리랑 고개를 넘어간다

할머니는 왜 혼자서
아리랑 춤을 추며
눈물을 흘리셨을까

노인과 눈

훌쩍 나이가 들어
노인이 되었다
춥다

어느 것 하나
소중하지 않는 것이 없는데
시간은 급히 흘러간다

말없는 침묵으로
시간속에 서서
마음을 태우는데
창문너머 하늘이 뿌옇고
눈이 내린다
세찬 바람이
옷깃을 여미게 한다

빌딩속 사잇길에
백설이 쌓이고
바람에 흔날린다
서러운 이별을 남기듯

금성산 위 하늘

아득히 펼쳐진
푸른하늘

손에 잡힐 듯 잡힐 듯
닿을 듯 닿을 듯
높은하늘
높고도 높다
얼마나 높고
신비한지

나는 하늘을 바라보며
그 하늘을 손으로
만져보고 싶어
동네 꼬마들과
높은 산에 오르곤 하였다

그러나 아무리 올라도
손에 잡히지 않는 하늘
금성산위 하늘은

그렇게 신비롭고 아름다운데

금성산은 언제나 하늘을
품고 있었다

산은 하늘을 향해
쭉쭉 뻗어 있다
어릴적 금성산의 하늘이
마냥 그립다

나의 벗

반가운 목소리
사랑하는 나의 벗
너무 반가운 마음에
너의 손을 잡아본다

반가움의 눈맞춤
두손을 마주잡고서
너의 글썽거리는 눈물에
애잔한 마음이 깊고
항상 보고싶다
그리웠다고도 말한다

고작 몇 달이라지만
너를 보지 못하면은
왠지 쓸쓸하더라
우리 자주 만나자

시간과 세월

울지 못하는 세월도
울었던 세월도
해오르면 그만인양
얼마나 더 살어르면 내것이랄까

온데 간데 없는 시간을
되돌릴수만 있다면
하영 좋겠다만

부질없는 회한으로
몸서리 나면
그때는 또 무엇을 의미하는
핑계가 될까

폭풍속을 걸어
도착해야 할 목적지

그 삶의 무게를 얼마나 더
느껴야 할까

우두머리 나이 들었다
우줄댈 이유 하나 없는데

풀이 죽어사는 이 목숨
오기나며는
그래도 어이 ...

삐짐보

웃다가
울다가
씰룩거리다가 그렇게
너는 삐죽삐죽
삐침쟁이

네 모습 눈에 밝혀
피식 웃음이 난다
또 무엇으로
삐질라고

삐짐보, 울보

사랑하는 사람이 생긴다면

네가 이 세상을
살아가는 동안
어떤일이 생겨난다 하여도
너와 함께
사랑하는 일보다
더 중요한 것은 없다는 것

오늘
그리고 내일
아니 날이면 날마다
그렇게 사랑해

언제나 햇빛이 비칠 오직 한 사람
그건 바로 너다

언젠가 함께 있고 싶은
사람이 생긴다면
그때엔 너도 행복하다
말하겠지

그런 너의 공간을 누군가가
채워줄 수 있기를
오늘도 하늘에 기대인 마음이다

너는 마냥 행복하기를

나그네

그리움도 때로는
괴로움이다
모진 바람에
앙상한 가지들
세월의 여울목에서
우수에 찬 얼굴

수척할대로
수척하여진 모습으로
주위를 맴돌다
떠나가는 나그네
혼미한 마음

겹겹이 쌓인 마음열고
칠흙같이 어두운 거리를
뚜벅뚜벅 걷는 뒷모습
쓸쓸함이 무어나는
숨겨둔 사랑하나

심장에 찔린고통
그러나 이제
영원히 안녕

꿈많은 할머니

꿈많고 순수한
어린 소녀였다
세상은 나의 놀이터였고

그러나 세월이 흘러
나는 할머니가 되었다
하지만 나는 여전히
꿈을 꾼다

지금도 어린 소녀의 마음이고

소녀의 마음으로
세상을 보고 있으며
희망을 가지고
세상을 대하고 싶다
감사한 마음으로

산책로

그린공원 산책로
걷는 재미가 쏠쏠
몇몇 사람들이 추운지
옷깃을 여미고 새우등이다
겨울 바람이 너무 춥다

그래도 상쾌하고
맑은 공기속에서의 깨끗함
헐렁한 자켓사이로
바람이 스며들지만
되려 맑고 상쾌하다

속살거리는 사람들 소리도 좋고
침묵으로 앙상한 가지들
바람에 스치는 소리
산책나온 어느 할머니의
모습도 이쁘고
빈 가지 사이로 바라보는
하늘도 이쁘고

오순도순 사그락거리며
걷는 발자국 소리도 정겨웁다

내 인생의 선물

바라만 보아도 좋은 너는
내 인생의 가장 큰 선물
나는 너를 사랑하고
너와 함께 행복하게 살고있어

나는 너를 위해
잘해주지 못하는 것 같아
마음이 아파
너를 위해
많은 것을 해주고 싶어

너를 행복하게 해주기 위해
무엇이든 할 수 있어
나는 너에게
부족한 것이 너무 많아
그러나 너에게
좋은 어머니가 되고 싶어
너를 위해 최선을 다할게

너는 내 모든 것
너를 사랑해

많은 글을 쓸 수 있다면

내가 이땅에 살면서
많은 시와 글을
남길 수 있다면
얼마나 좋을까

나의 시와 글이
많은 사람들에게
기쁨이 될 수 있는
훌륭한 글이라면
얼마나 좋을까

부드럽고 순한글
마음을 적셔줄 수 있는 글

그런 시와 글을
쓰고 싶은 마음
글은 쉬울 것 같으면서도
무척 어렵다

이쁜 편지한장

레지오 수첩에
써서 보낸 이쁜편지

사랑을 못하였던 마음을
적어 보냅니다
그대 <마리아>에게 라고

반가운 그대들
안보면은 무척이나 그리운
큰 기쁨인 단원들
그들의 음성이 들려 오는 듯

기쁨이라고 적어보낸
편지 속 사랑
칙칙한 마음이
어느새 사랑으로 바뀐다

성모님처럼 고운 마음으로
단원들을 위하여

깨어있는 기도를 올리리라

가장 깊고 낮은 목소리로
단원들을 위하여

웃음

내가 기뻐서만
웃는 것이 아니란다

웃기 싫을때도
나는 남을 위하여 웃는다

나의 웃는 모습을 보면서
그들도 따라 웃을테니까

너의 웃는 모습을 보면서
너희들도 맑아지기를

기도

누군가
삶의 길에서
지치고 힘들어 할 때
그를 위하여 기도해 주리라

누구를 용서할 수 없을 때
결정할 수 없는
지혜가 부족할 때
어머니를 애타게 불러 봅니다

우리들을 하늘로 이끄시는
하늘 어머니
현세를 살면서도
하늘을 향합니다

존재 자체이신 당신과
영원을 향한 그리움

어머니

당신을 부르면 저는
어머니를 닮고 싶습니다

오늘도 다정히 불러보는
당신의 이름
어머니

꽃

당신은　정갈한 사람입니다
한송이 장미꽃
열정을 지닌 사람

당신은 소박한 사람입니다
예쁜 각시 꽃
꼿꼿한 사람

당신은 겸손한 사람입니다
한송이 동백꽃
착하디 착한 사람

당신은 넓은 사람입니다

세상 모든 이들에게

산다는 것의 의미는
누구나 가는 길
소리없이 빠른 세월위에
한점 점을 찍으면
낙원의 집에 가까운데

속만 상하는 그리움이 고개들면
혼자가는 이길이
외롭지 않겠는가

세상 사람들
힘들어 하는 모든이들
외로운 사람들 더욱 먼길
우리 함께가면 오직 좋겠소

덩그마니 외로운 나그네
불을 밝혀두고
꺼버릴 수 없는 밤
그대들도 외로운지요

세상 사람들이 가족이라면
좋을 이 밤
부칠수도 없는 기나긴
편지를 씁니다

세상 모든이들에게 라고
제목을 부칩니다
적막한 마음을 보냅니다

세상 모든이들이여
우리가 아파하며 부대끼는 밤
바람만 고요한데

내방 창에 달린 달님에게
실어 보내는 편지는
받아주어요

북쪽으로 두른 나무

사연이 많아
북쪽으로 두른 나무라고
나에게 말을한다

늙어 추억을 기억하며
간밤 꿈으로 온 당신
문득깨어 그리움으로 남아
보고 싶습니다

때로는 그리워서
때로는 미워서
때로는 보고파서
그렇게 그대를 추억합니다

오늘 밤 꿈길로 오신 당신
또다시 그려보려
두 눈을 감아봅니다

무슨 의미로 북쪽으로

두른 나무라 서럽구나라고
하셨는지요

질문

어느날 너는 조용히
나에게 물었지
어찌 사느냐고
어찌 살아왔느냐고
어둠을 거두고 산
세월이 아프지 않았느냐고

어떤 말로
대답할 수 있을까 ... 글쎄
황량한 벌판같은 마음이라면
너는 나를 알까
마음속의 외로움을 밀치고
살아온 세월

암담하고 고달프기만
했던 세월
그러나 어느날 아득히
한없이 흔드는 바람
그대는 내게

하나의 질문을 던지지만

내 마음속을 알지는 못하리라
내가 아니니까

나의 어머니

언제나
누구에게나
다정하시고
정 많은 어머니

세상은 얼마나
아름답냐고 살며시 웃던
밝은 모습
혼자 그리워
가끔은 습관처럼 떠오릅니다

남겨주신 성서책을
다시 꺼내들고 매우 그리워서
품에 꼭 안고
그려봅니다

성서의 말씀을 나에게
들려주실 것 같은 모습에
웃다가도 눈물이 납니다

말씀을 마음에 새긴 한구절
모든 죄와 악에서
구원하소서

너 요한

이쁘고 고마운 내야 사람
넌 복이
굉장히 많은가 보다
너를 바라보며
소리없이 지켜보다
이렇게 혼자서도 웃어지는구나

지와 덕을 지닌 습성 좋은 너
완벽하고 빈틈없이
곱게 자란 너를
하느님이 내게 선물로 주셨다

내가 감사해서
이렇게 활짝 웃는것도
세상은 모르리라
무어그리 웃느냐고
사람들이 말들하지만

자식 복 많은 내가

세상 살맛나게 감사하다고
큰 소리치면
사람들은 정신 나갔느냐고들
하겠지만 너는
큰일 할 사람
내 나중은 심히
창대하리라

잊을 수 없음을

자유의 주인이 되고싶다
온전한 사랑으로
나태한 마음의
어둠을 몰아내고
놀라움과 설레임으로
눈을뜨면

어둠을 허물어 내기 위하여
침묵속에 누워있는 모습
가장 소박하고
진실한 사람

비롯 가진 것 없이 초라하여도
사랑하는 마음만으로
나 자신을 일으켜 세운다

조용한 기도의 밤
주님이시여
밝은 빛으로 타오르게 하소서

매일의 꿈속에서

함께 끌어안으며
살아 있음을
아름다운 기도로 바꾸고
잊혀지지 않는 소박한
사람을 위하여
마음을 모두운채

넓은 사랑이 출렁이게 하소서

바라보라

너무 혹독하고 비장하다
그게 무어그리 좋다고
유순한 사람들이
정들지 않을까

생각하는 것만으로도
기쁠수가 있더라
사람을 바라보는
눈을 달리해라
그러면 바로
네 마음에 눈이
바로 바라보이리라 여겨
기쁨이 되어 보기를 바란다

울지말고
밥 잘먹고
잘자고
잘살고

왔던길로 가버린 사람

왔던길로 가버린 사람
나홀로 남아
잠조차 슬픔으로
변하고 말았다

눈물로 뿌려놓은 세월
하늘로 날으고
하늘에 부는 바람따라
기척도 없는데

어찌하여 우리는
헤어졌는가

햇빛은 대지를 껴안고
달빛은 세상을 비추고 나면
먹빛이 짙어진 세상
먹빛이 마름하는 날
돌아오지 않음을 서러워하며

생의 하루 하루를
하늘에 기대어도
조각 구름만 두둥실
왔던길로 가버린 사람

나홀로 남았구나
나홀로

구원의 기도

하루가 끝나고
밤의 고요가 찾아들면
곤한 잠 이루지 못한
고뇌하는 마음
구원의 기도를 바친다

고통의 의미
기억하고 있는것들
피곤한 육신으로도
잠에 젖게 하소서
마음은 그리스도를 기억하리다

세상의 보람인 일들
세상에 대한 욕망
당신의 비호아래
생활하게 하소서

첫 사랑

눈을 감고
그대의 모습을 떠올립니다
나의 첫 사랑이여

사랑을 물으신다면
사랑이 무엇을 줄 수 있는지
쓰디쓴 것 뿐이지요
따뜻한 마음을 잊어버리고
참된 사람
아름다움을 사랑했는지
슬픔을 사랑했는지

남몰래 방황하던 그 시절
별무리속에 헤메이던
슬픔에 잠겨
홀로 외롭고
슬펐던 기억
상처입은 여자의 마음

이토록 가슴 아플줄 알았다면
툭툭 떨어버리고
잊고 싶습니다.

용서

우리를 지키소서

우리를 지키소서
우리를 지키소서
우리를 지키소서

한없이 깨끗하신 성모여
우리위에 새로 임하소서
어떠한 죄나 허물도
용서받을 수 있도록
도와 주소서

나의 삶

함께 나누어야 할
삶이 있습니다

나의 밝은
눈뜨는 아침
들려오는 모든소리
세월이 흐른뒤에
나는 이야기 하겠지요

나를 꿈꾸게 하는 삶
어디로 가는지
어디로 가는지도 모르면서

내가 늙어서
쓸쓸함 보다
좀 더 가치 있는 삶
인류를 변화시키는 시간

그 시간속에서

함께 나누어야 할
삶이 있습니다

아녜스

사람들을 당신의 도구로
써주신 믿음으로 살다간
그릇됨 없이 착한 사람
어둠과 슬픔을 이겨내고
하늘 영광 받으시라

아녜스의 죽음
흐느낌과 눈물로 지워내고
애도하는 것이 마지막 인사

오늘 계속 울어서
얼굴이 퉁퉁 부었는데
연도 회장님이 바라보신다
그도 슬퍼하며
겸연쩍어 하신다

아녜스의 영혼이
용서 받을 수 있도록
연도 기도를 바치고

돌아나온 자리

우리 어머니도 아녜스라는
세례명을 받았기에
더욱 슬픔이 밀어 닥치고
눈물을 주체할 수가 없다

아녜스는 이제 영영
우리곁을 떠나
죽음으로서 영생을 얻으리라

목마른 영혼

영혼이 목말라
소망하는 것들
애틋한 큰 그리움
한맺은 사랑이어라

만나지 못한 애절함이
가슴아파 오늘도
하늘에 기대인 마음

채우지 못한 사랑하나
헛 사랑만 스쳐
아프디 아팠던 지난 날
영혼을 축이고픈
그리움을 멈출수 있다면
차라리
내 알 마음
낮선 간절함
고이 맺는 이슬같은 서러움

나를 구하소서

창조된 세상
모든이들 모든 것들
대자연속에 숙연하게
비상하는 몸부림

숨긴일 드러날까봐
노심초사하고
심판주가 모든 일 조사할 때
심판을 면할자 누구인가

죄 많은 세상
의로운 사람조차 불안에 떨며
두손 모우는데
은총을 구하는 이여
나를 기억하소서

자비의 주인이시며
나의 길 되시오니
십자가에 못박히신이
나를 구하소서

꿈에도 생시에도

내려감는 눈에
살며시 비쳐오면
떠나간 사람들 다 못잊고
마음에 남아 서성거림도 추억이려니

아름다운 생각으로
집 잃은 내 영혼이
아니기를 바라며
마음 한켠을 채우는 것도
여지없이 쓰라린 가슴

달빛 푸른밤이 고요하고
세찬 바람은 대지를 휩쓸고
비를 뿌린다
싸아한 가슴
가다듬을 새도없이

그리움에 떨리는 가슴속을
자리 잡고 있는 모습들

이 밤바람이
나를 건들면
잊었던 사람들 생각이나
눈물이 날 것 같다

누구를 사랑하는가

아버지
어머니
자식
형제
벗
뜻조차 헤아릴 수 없는 어휘들
나의 조국
아니면 우람한 남자
아니면
아름다운 여인
또 물론 사랑할수도 있으련만

나는
하늘을 사랑한다
이 모든 것을
사랑하기 위하여

추억

흔들어 깨우고
돌아선 세월
더디게 더디게 마침내
오늘이 왔다

눈을 들어 바라다보면
마주 할 수가 없건만
사람들은 저마다의
추억을 남긴채
어디로 가고 있을까

고요히 잠든 동네에 내리는
청빈한 고요
시간은 과거로 남기운채
어디로 가고 있을까

여자

모든 계층의 여성
성숙한 여자
쉬운 여자
어려운 여자
위치에 따라
거만하여 지기도 하고
겸손하기도 한 여자

그러나 어머니가 되면
누구나 겸손하여 지고
포근하여 진다
아름다움을 지닌채
아기를 품에 안은채

그렇게 핀 뒤에는
늙어진다 여지없이
그것밖에
남는것이 무엇이 있으랴

아침기도

하루를 시작하는
나의 첫 기도는
새로운 아침의
고마움입니다

천상과 지상의 아침
있는 그래로를 받아드리며
성모 어머님을 마주하여
아낌없이 쏟아내는
감사의 기도를 올리고 싶습니다

나의 웃음과 눈물이
기도가 되는 것은
하느님의 은총입니다

많이 사랑하고
많이 비우고
비울수록 가볍고 즐거운
맑고 밝음

오늘을 또다시 보게해 주신 하느님
오직 사랑 하나로
모든 것 버리고도
넉넉할 수 있음은

내 영혼의 온전한 평화
오늘 아침
다시 본 세상이
너무나 아름답습니다

그리움 3

그리움
그리움
그리움
그리움이여
낯선 그리움이여
흔적없이 어디에서
그리워 하는가

사랑하는 이 못찾고
헤메이는 낯선 그리움

내 고향집에 가고싶네

오랜 세월이 흘러
낡아 보이지만
넓고 커다란 집
기둥들이 튼실한 정든 집

장독대 뒤 바위산
아름다운 팽나무 그늘
아름다운 새소리

할머니가 심어주신
장독대 한 켠의 예쁜 화단
채송화 봉숭아 꽃 흐드러 지면
할머니는 꽃물을
들여 주셨네

다시 돌아가고픈 내 고향집
바람이 이길 수 없이 흔들리면
대숲에서 울어대는 바람소리
밤나무 감나무 주렁거리고

도토리 툭툭 떨어지던 그곳

못가고 말았던 지난 세월
못가고 만 외로움에
내 마음 못내 그립습니다

인상

차한잔 마실
여유도 없다면
무슨 재미

뭉팅하고 수더분한 모습
옹고집스런 인상

그러나 알고보니
선하고 착한 사람
보이지 않는
내면이 있는
인심 좋은 사람

인연

어쩌다가 인연이 되었는가
울 수 있는것도 은혜임을 알면서도
울 수 없음은
곁에 있는 너 성가실까봐

잘못된 지난날을
뉘우치면서도
후련한 울음을 쏟아 낼 수가 없다

절망의 늪으로 빠져들던
죄많은 날들로
지금 너를
그리는 걸로 아파하면서도
고통의 밀실에서 타고 있는
기도만 한량없다

오늘은 너도 그리워하면 싶다
하늘에 오르신 성모님도
오늘은 우리 아픔 아시겠기에 ...

그러나 울수도 없이

울음을 잊어 버렸다
너로

기도 합니다

마음에 크나큰 괴로움이
사라져 버리기를 기도합니다

마른 내 가슴이
텅텅 비이지 않도록
채워지기를 기도 합니다

주님앞에 엎드린 기도
성모님과 함께하니
내 마음 넘쳐나기를
기도 합니다

생각 나지도 않는
죄까지 씻어 주시기를
기도 합니다

악한 근심으로 말미암아
쓸데 없는 걱정을
거두어 주시기를 기도 합니다

주님에게는 기쁨이 있고

214

희망과 구원이 있기에
기도 합니다

지혜

고요히 무릎 끊고
주님 말씀에
귀기우리고 싶다

속된 것을 멀리하는
맑은 지혜와
매일의 삶속에 일어나는
근심과 아픔으로도
넓은 사랑을 지니고 싶다

현란한 죄의 유혹에서
벗어날 수 없을때에도
기도를 멀리하고
절제가 부족했던 시간

성모 어머니의 도움 없이는
항상 멀기만 했던 날
이제 다시 사랑으로
마음을 넓히며

오늘을 마지막인 듯
깨어 살고 싶다

그대

생각이 싫습니다 그대
이 세상
흔해빠진 것들이 무어냐고
언젠가 나에게 묻던
대답을 이제야 하겠습니다

겨울 바람처럼
고집이 세더이다
그대가 침묵으로
대하던 시절
너무나 외로웠습니다

더 쉽사리 대답할 수
없을 줄 알았는데
이런 것을
외롭고 사랑하고 싶습니다

그대의 세계와는 달리
숨쉬는 세상이니까

당연히 사랑도
하고 싶습니다
늙어버린 여자가 왠
괴변이냐고 나무라지는 마세요

그대가 그립지 않다하여
미웁다는 것은 더욱
아니랍니다

목적지

나에게 가르쳐 준
정겨운 산책 길
은빛, 빛나는 발자취
가지만 앙상히 남아
바람에 사각거리는 소리

굽이 굽이 굽이쳐 있는
소나무 숲
발자국 따라 걸어가면
이름 모를 새들의 지저귐

산책길은 나를 데리고
그 길로 들어선다

또박 또박
바쁠 것 하나없는 마음으로
걸어가면
그 끝은 내가 바라는
목적지이다

지난 날과 지금

힘들었던 시간
괴로웠던 시간
너무 쉽게
잊고 살수는 없는데
지금 기쁘다고
태평할 수 없음도
또 무엇으로 고통일지 몰라
긴장하곤 하는데

떨떠름한 모양새가
좋지 않다 할까봐
잊어 보면서 살련다

오늘은 풍요로운 마음으로
너와 함께
나누는 행복
넓은 마음으로 두려워 말고
꿈을 펼쳐보자

삭고개 할미당

임자 잃은 돌무덤
길손들이 그 길을 지날때면
돌멩이 하나씩을 얹어주고
바삐 지나온 길

밟히고 짓밟혀서
양편으로 나뉘인 모양

삭고개 언덕위에
행인들이 쌓아둔 돌무덤은
어느 애기 무덤인데
오랜 세월이 흘러
할미당이 되었다는
전설이 있습니다

오늘도 삭고개를 지나는
행인들은 돌멩이를
얹어주고 지나 가겠지요

낮 꿈

나른한 오후
잠깐 졸다가
왠 낮꿈인지

초점 잃은 눈만 깜박거리고
석연찮은 마음으로
돌아 누워도
기분이 좋지 않고
몸은 천근만근

삐짐

나는 지금 당신 이름을
부르지 않습니다
그리웁지도 않습니다

당신없는 서른 다섯해의
세월을 이고 달려온 시간
홀로 견디다가도
견딜수 없는 서러움이 고개들면
나는 그렇게 발버둥 쳤습니다

젖은 눈으로 고개를 떨구면
그곳엔 당신없이
홀로남아 외로움이
가득합니다

내 삶이 슬퍼서
당신을 떠올리기 싫은
오늘은 나 혼자 삐졌습니다

지난 세월을 멈추고

괴로움에 차있던 지난 날
서글픔이 나를
무력하게 하였습니다

그러나 방향 잃지 않으려
애썼던 나를
추겨 새우며 충동질하고
서글픔에 겨워
마음을 적시고

사랑하는 것을
많이 잊었습니다
살음의 징표인양
멈출수 없었던 시간들
이제 겨우 멈추어 봅니다

그리고 나를 돌아보며
나에게 수고했어 라고
다독여 봅니다

목적지에 이를 때까지

목적지를 향하여
오늘도 길을 걷습니다

당신의 주관대로
여행 할 수 있도록
길을 안내해 주소서

우리 주 그리스도여
당신의 은총을
우리에게 내리소서

한없는 축복과 보호로서
목적지에 다다를 수 있도록
붙들어 주소서

눈

흰 빛으로 물들은 대지
어둑한 저녁 나절
은빛 소리없는 세상
나플 나플
하늘에서 눈이 내린다
썰렁한 대지위에

소복이 쌓인 눈은
숨어온 시간속에
잊혀진 기억들
쏟아져 내리는 눈으로
또다시 갇혀 버린다

하얀 눈길을 걸으며
나플거리는 눈을
맞고 싶다
이런 날에는

기뻐라

기뻐라
오늘 같이만 기뻐라
내 뉘 없어도
우리둘이 오늘은 기뻐라

거센 비바람이 그치고
바람 잔잔한 오후
생각지도 않았던 기쁜 소식
그것은 분명 축복이다

낮에는 근심으로
밤에는 하염없는 염려로
지나온 시간들
이렇게 쉬이 풀릴 걸
그리도 애가 탓던가

이제는 위안과 쉬임이다
지금은 기뻐라
상아같은 흰 마음으로

나를 적신다

세상에서 외면하고 팠던 모든 것
받아드릴 수 있는 오늘
우리는 기뻐라

오소서 주여

아름다운 사람이고 싶습니다
길이 되어 주소서
겸손으로 가난하게 오신이여
그러나 사랑으로
빛나는 길이되신 예수님

품에 안길 자격도 없지만
날마다 주를
떠나지 않도록 하여 주소서

죄많은 이
말로 다 못하는
깊디 깊은 사랑속에
살게 하여 주소서

미움과 죄를 모르도록
붙들어 주소서
주님을 부르면 응답해 주시고
주님을 모시는 마음방에

은혜의 촛불을 밝히오니
오소서 구원의 태양이여

어머니

하얀 눈길에서
더욱 가까이
나를 붙드는 사람
도서관 뒷켠 언덕에
쌓여있는 눈길을
살며시 걸어 봅니다

사랑의 승리자이신
나의 어머니
매일의 삶이
나에게 주는
기쁨과 슬픔

세상에서 외톨이 같은
이 허전스러움
그리고 희망과 절망

아기일적에 당신의 팔에 안겨
소중히 받아안아

키워주신 사랑
마음에 담긴 많은
사연을 간직한 채

오늘
이 눈길을 걸으며
어머니를 대합니다

나의 보고싶은 어머니 아녜스

오직 사랑

사랑밖에
너에게 나는
사랑밖에 할게 없다

글쎄
사랑 빼고는
너에게 무엇을 해주어야 할까

오늘이 마지막인 듯
언뜻 스치는 생각
누가 시키지 않아도
너를 위하여
기도가 떠오른다

먼 길을 걸어
세월따라 여기 있음도
너를 사랑하기 위하여
진심으로 사랑하기 위하여

먼 길도 가까워지는 시간들
낮선 세상에서
너를 사랑한다
내 목적지에 이를 때
더욱 마음에 남을
너에 대한 사랑

아직도 다하지 못한 침묵의 사랑
오늘도 사랑으로만 사랑한다

달 밤 2

밤하늘에 떠있는 달처럼
우리는 모두
각자 사는 자리에서
높은 하늘을 올려다 본다
겸손한 마음과
갈망하는 삶이 변화되길
기대하면서

나는 오늘도
가난한 기도자이다
묵주를 들고
두 손 모으는 순한 마음속은
내 영혼의 그리움인가

오늘은 달빛에
나를 비추고
어머니를 부르는
나의 마음에 오소서

달빛 밝은 이 밤에
참회의 기도를 올리나이다

당신의 예수는 어디에

깊은 슬픔에 잠기면서도
묵주의 기도는
이 세상 무엇과도
비교할 수 없는
기도의 은총이기에
내 스스로
십자가를 지었습니다

슬픔의 날카로움에
상처가 너무 아파도
누군가를 위하여
기도할 수 있다는 건
내 모든 은총입니다

낙심하지 않기 위하여
무거운 짐이
어떠한 것이든
기도할 것입니다

십자가 길위에서 만난 예수님
어두움의 길위에서
끝맺음에 이르면
평화를 안겨다 주시겠지요

모든 화가되는 화근을
뿌리뽑아 주시고
당신만 바라보게
하여 주소서

너를 그린다

실컷 울어버리고 싶은
날들이 있습니다
가슴에 멍울진 사연
아무에게도 말할 수 없이
절절한 아픔

아무리 겸허해지려해도
강한 목메인 그리움이
나를 제압합니다

내가 감히 너를
사랑하지만
사랑한다고 말할 수 있을까
너를 미치도록 찾고 싶지만
찾을 수가 없다

너를 떠올리면
세상은 암흙천지다

흰초에 불을 붙이고
아무리 애원해도
누운 산허리 같다

어디에서도 너는
너를 부르는 나의 목소리를
듣지를 못하는지
너를 부르는 내 아픔이
통곡이 된다

그리운이 얼굴

숙명처럼 예 있건만
내 언제
그리운이 얼굴
만나볼 수 있을까

초췌한 모습
하나가 내 가슴에
파고든다

몸살하는 나의 메일이
참도 서러운데

색동 고무신

할머니가 사다주신
색동 고무신
너무 좋아서
가슴에 품고
수없이 만져본다

반 친구들이 부러워하며
서로 신어보고 만져본다
학교에서 돌아오면
물로 씻어
방안 한켠에 놓아두고
아끼는 날보고

할머니는 아끼지 말고
마음껏 신고 건강해라
이 다음에
더 예쁜 신발 사다주마시는
할머니 말씀에
마음 열어 춤을 추는
색동 고무신

상 처

다친사람 품에 안고
치유해 보려는 몸부림
누구하나 제대로
품지못한 가슴
다친 마음을 바라보니 속만 상한다

겨울 눈은 내리는데
몸이 시린 사람들
따뜻한 품
내어줄 수 없음도
나의 아픔인지라
따뜻한 품을 이제는
내어주고 싶다

깊이 다친 마음
위로 못하고 서성인다

지나온 세월

기다림도 잊어버린채
그저 지나온 세월
미련이 끝없이
방황하고 있을 뿐

외치고픈 지난 날들
꿀꺽 삼킨채 내 뻗지 못함
미움도 정이되어
사랑을 노래할까

긴 세월
지나간 세월
닫혀진 추억속에
숨어 잠들고

나의 마음이
잠시 동안 그대 시간을
탐하나니
그늘 한점 없고
슬픔만 남는다

네잎 크로버

여름
네잎 크로버
행운
진한 녹색

해오라기를 사른 화염
젊음
이마를 적시는 땀방울
가난한 이들의
서럽지 않는 평등

어설픈 마음을 감싸안는
네잎 크러버의 행운

서로 바라보며
생긋 웃음짓는 오후

시를 쓰면

시를 쓰면
내 마음이 맑아지고
생각과 감정이
공유되는 것 같아
기분이 좋다

시를 쓰면
내 상상력과 창의력이
무한히 넓어지는 것 같아
마음속에 있는것을
모두 꺼내어 쓰고싶다

내 생각과 감정이
자유로운 기분
내 삶의 내면의 깊이를
의미가 있게 쓰고싶다

죽음

차창에 뿌려지는 빗줄기
정이되어 흐르는가
멀어진 세월
불면으로 뒹굴어도
닫혀진 마음

어디를 가는가
어디들 가기 위하여
이 차를 타는 사람들

아늑한 품에
안기고 싶다
지상에 있는 모든 것들로
앞서거니
뒷서거니
저 만큼에서

이 차를 타기 위하여
몰려오는 사람들

비내리는 대지위에
촉촉이 녹아드는 슬픔
굳어진 얼굴에
웃음을 잊어버린 통곡

이승과 저승의
갈림길에서
어디로 가는가
어디를 가는가

슬픈 사랑

슬픈 사랑을
마음에 지닌 사람들
물결 소리에 조차 심란해지고
가슴 시린 바람소리에
통곡한다

불행한 사람들
아!
그 순간에
어리석은 영혼이 끌고가는
죽음의 계곡

희망없는 밤과
빛없는 낮
싸늘한 주위로부터
과연 무엇을 얻을까
죽음은 무엇을 추구하는가

오늘

세상을 떠난 나의 벗
부는 바람에 잎이 떨어진
나뭇잎 같이
이제 또 넓은 저승으로

사람의 슬픔을 아는지
구름에 가린 어둠으로
바뀌는 하늘
이제는 모든 것 끝나
마지막 인사를 나눈다

노인

공경하는 마음
노인이여
속이 꽉찬 인생경험
느리고 꾸물거리건만
마음은 누구보다
지혜롭다

나이가 아주 들어버리지 않는 한
사람들에게 들려줄
인생 경험담

저택안에 웅크린
회전의자
노인을 노엾게 하는 세상

노인은 두려운 마음이 들어
인기척 없는 곳으로
피신을 한다

새하얀 머리카락을
어루만지며
노인은 눈물을
글썽거리며
먼데 하늘을 바라다 본다
오마는 이도 없는데

사랑하고 또 사랑해도

그래도 한없이 사랑한다
부귀도 영화도
바라지 않는데
지나치게 곤곤하다

정겨운 사람들
그들이 내게서 멀어져간다
눈에서 멀어지면
마음에서도 멀어진다는
옛 말이 있듯이

이유도 없이 멀어지는 사람들
그러나 그들은
그냥 바라보는 기준이
달랐다는 나의 어리석음
그들도 한낱
이성을 가진 사람들인걸

한낮 부질 없음에

누구를 탓하랴
사랑이 부족한
나의 탓이거늘

더 많이 사랑해주지 못한게
못내 아쉬웁다

그리운 생각

그리움의 생각이
마음에 스며들어
가슴에선
애정어린 사연
그것이 나였다면
심장이 고동치리라

너를 바라보면
가만히 정지된채
살갗 밑으로 달구는 마음
눈에 비치는 아련함
아무것도 없이

마음이 먹먹하고
창백한 내 마음에
파고드는 그리움
사랑이 무엇인지

세상에서 가장 그리운 건

가장 슬픈 것
냉냉한 마음
그리움에는
지혜도 성품도 소용 없건만

마음이 쉽사리
가라앉지 않는다

빗속의 이사

하늘 구멍이 났나
바람은 세차고
소낙비가 주르륵 주르륵
요 며칠동안 비바람이
옷깃을 여미게 한다

이 겨울 장마인가
한없이 내리는
빗속에 떠났을 그녀
사랑을 잊어버리고
홀로 길을 나서
낯선 땅으로 이사를 가다

세월지나 오마는
마음을 남겨둔채
빠이 빠이

뜻하지 않게 마음이
허전스럽다 섭섭하고

이 빗속에
눈물 바람을 하고 떠나간
아쉬운 작별로
마음이 아프다

모든 것들과 이별을 하고
혼자 떠나는 타향살이

그곳에서는 더없이
행복하기를 마음속으로
빌어본다

사랑할 때

사랑할 때
우리 마음은
어렵게 궁리하지 않아도
기쁘게 한다

어리석게 보여도
존재 자체로
서로에게 사랑이 된다

살아오면서 지금껏
무엇이든지 사랑할 수 밖에
스스로 부담스러운 것들도
사랑으로 채우면
위안이 된다

끊임없이 부르는 이름들도
오직 사랑으로
언제라도 기억되는
단순한 아름다움

사랑의 보석들을
캐어내며 새로운
노래를 부르듯
마음이 설레입니다

내 삶의 아름다운 자리
끝까지 사랑으로 채우렵니다

요한

바쁜 일손을 잠시 멈추고
내 말을 들어보렴

감사하고 싶을 때
고마워하고 싶을 때
기쁜 마음으로
사람을 대하라

사소한 일로
짜증내지 말고
미워하지 않기를
남을 험담하지 말기를
선뜻 화제를 돌려
용기가 부족할때도

마음을 가다듬고
마음을 깨끗이 하라
네 삶의 자리에서
혼자서만 감당해야 할

복잡한 일상들로
원망보다 유순한
마음으로 받아드리고
고독할줄도 알아야 한다

네가 이 세상에 있는 한
살아갈 모든 날들에도
깊디 깊은 마음에서
신뢰와 사랑이 싹트기를

이것이 너의 완성이란다

고백성사

두럽고 떨리는 마음으로
고백 성사를
부끄러운 죄 고백으로 남기고

사랑의 등불을
환희 밝히기 위한 성사
어리석음으로 괴롭던 시간

무관심과 이기심이 가득차
한치앞도 바라보지 못한 자리에
가시나무가 자랐다
내 마음의 숲에
다시 불을 놓는다

뉘우침으로 눈물 흘릴때에
강을 이루는 내 눈물을
닦아주시던 하느님
큰 귀 열어 놓으시고
오늘도 나의 고백을 들어주신다

잘못을 고백할 수 있는
용기를 주심도 은총인지라
죄를 고백하는
부끄러움을 다행이라 여깁니다

사랑할 수 있는 겸손과
마음속 깊은 죄도
용서하여 주소서

당신

무덤속에 묻힌
당신의 눈물
당신이 바라던
강산과 하늘

나도 바라 보는데
사랑하는 님을
믿고 바라고 사랑합니다

한송이 꽃으로 남는법을
배웁니다

큰 사랑과 고통이
내 안에 가시로 박혀
나의 삶은
당신을 닮고싶어
마음이 아픕니다

흙속에 묻힌

당신의 침묵은
내게 살아있는 언어입니다

십자가 길의 예수님

느낀 슬픔이
소리없는 눈물을
흘리게 합니다
살아 있음을
감사드리면서

나를 바라보면서
겸연쩍게 웃는 사람
신앙인으로써 가슴을 설레게 하는
에워싸고 있는것들
십자가 길위에서
만난 예수님

흔적만을 남기고
발자국들이 지나갑니다
신앙의 길위에서
퇴색하지 않기를
급변하는 세상
신앙도 멀어지는가

인간들의 마음을
아무리 붙들어 주어도
주님 홀로
십자가 길위에 남아
우리를 위하여
오늘도 피흘려
기도하십니다

힘든 순간

삶이 힘들고
고단하지 않는자가
누가 있을까
그러나 고난속에서도
감내하는 정신으로
살아내는 것

완전하진 않지만
완전하기 위하여
끊임없이 노력하면서
일생을 산다

고통이 다가오면
늘 생각하죠
수난에 동참하면서
인내하는 것은
살아가야 하기 때문에

어려운 순간

여러 가지 유혹들
그러나 견디어 내는
축복과 감사

순간 순간 선택할 수 있는
기회가 주어지고
살기위한 방법을 알아간다

노신사

한적한 시간
어느 신사의 발자국
또박 또박 잰걸음
분주히 걷는 걸음은
무엇을 재촉하는가

하나
바쁠 것 없는 세상에서
허송 세월을 보내는
신사도 오늘은
바빠 보기로 한 모양이다

고운 미소

침묵으로 흐르는 속을
고운 미소로 날려본다

내 인생 구축도 못한채
머나먼 미래의 소망하나
충족할 줄 모르고

가슴에 불타 오르는 욕망
오색수를 놓듯
차곡 차곡 쌓인 몸부림
잊어버리고
비워버리고
웃을 수 있다면 좋겠다

운명의 여인

운명에 버림당한 여인
영원히 모른다 하여도
상관 없다는 듯
해결할 수 없는 관계
모름지기 실생활속에
들통나는 이야기

그는 그렇게 혼자
쓸쓸했을 것을
더는 견디지 못할 그리움에
그 길을 택한다

있어서는 아니되는 일

사랑이 아닌길을
사랑이라 여기며
선택하였던 길
어떤 말못한
아픔이 있기에

어느 아낙의 서러움

그냥 네가 이 편지
받을 때 쯤이면
너를 위해 조배실에 있을께
애타는 기도
떠올려 주기를

일찍이 낙원의 집에 돌아간
네 남편 이해해 주고
옛날에 너처럼
남편을 잃고 슬퍼하였지
동류의식
난 요즈음
네 편에 서본다

한 사람의 죽음은
온 가족을 슬프게 하지
더구나 아이들에게
곧 사랑하는 부모자식
천륜이란 그렇게 아픈 것
사랑임을 알고 ...

긴 기다림

한 땀씩 엮어가는
영혼의 삶
고운 눈가
예쁜 미소는 사랑이어라

얼어붙은 창가에서
기다림에 지친
아이의 신음소리
그렇게 엄마는 방황을 한다

들리는 소리마다
엄마의 발자국 소리
기다림의 시간이
이슥하면 엄마는 돌아오고
아이는 그때서야
곤한 잠에 빠진다
가느다란 숨소리를
쎄근거리면서

쓰다만 일기

마음이 너무 심란해
쓰다가 멈춘 일기
내 생각과 감정의 기록
그것은
내 삶의 발자취

내 마음을 전하는 메시지
나 자신을 위한 선물

어떤날은
.. 기뻤고
.. 슬펐고
.. 화났고
.. 외로웠고
.. 행복햇고
.. 후회스러웠고
.. 다짐하고
.. 대견했고

이 모든 것이
내 삶의 흔적
그것이 나의 인생

엄마

엄마를 만나러 가는길은
긴 여정입니다
시골길을 따라
구불 구불 굽어가는 길
어렸을 적 엄마를
보러가는 길은 설레였습니다

엄마를 만나러 가는길은
안심과 편안함으로 가득하였습니다
엄마에게서는 언제나
따뜻함을 느낄 수 있었습니다

그러나 이제는
엄마를 만나러 가는길은
힘들고 지칠때도 있지만
더욱더 큰것은
이 세상에서 비교할 수 없는
슬픔입니다

이제는 엄마가
세상에 계시지 않기 때문입니다

기다림

너 온다기에
분주히 준비하고
맞을 채비를 해둔다
창문도 활짝열고
공기도 환풍시키고
거실문도 열어두고
침대보도 새로 갈아놓고

찻잔도 마련해두고
맛있는 반찬 몇 가지
만들어 놓고
기다리는 동안
이글 써 본다

돌아와 맛있게 먹고
즐거워 할 너를 떠올리니
너없는 시간이
무척이나 외로웠나 보다
기다린다는 것은
참으로 설레이고 좋다

모든 것을

처음 보는 듯
순수한 눈빛으로
세상을 바라보자

어떠한 어려움에도
웃음을 잃지 않는
밝은 모습으로
우리를 감동 시키리라

순수함과 맑음은
우리가 잃어버린
희망을 되찾게 해준다

당연한 것을

아침에 눈을 뜨고
햇살을 맞으며
사랑하는 사람들과
함께하는 시간
당연하게 여기지만

그것이 얼마나 소중한지
알게 되었다

고백

내 마음은 온통
너 뿐이란다

너의 미소
너의 목소리
너의 모든 것이
내 마음을 사로 잡는다
이 세상 누구보다도